juffrouw
Schaap

SANNE

Dit schrift is van:

Juffrouw Schaap

Omslagontwerp: twelph.com

Omslagillustratie: Fotolia.com

Typografie en zetwerk: Peter de Lange, Amsterdam

Copyright © 2009 Marjan van den Berg

Copyright © 2009 Nederlandstalige uitgave:

FMB uitgevers bv, Postbus 3626, 1001 AK Amsterdam

www.marjanvandenberg.nl

www.mistraluitgevers.nl

www.fmbuitgevers.nl

ISBN 978 90 499 5116 0

Mistral uitgevers is een imprint van FMB uitgevers bv,
onderdeel van Foreign Media Group.

Voorwoord

Er ligt al maanden een schriftje op de keukentafel. Daar zet ik af en toe iets in. Iets waaraan ik moet denken als ik met Sanne heb gepraat. Zoals dat aardbeienmasker. Dan denk ik: ze zou eens verschrikkelijk moeten lachen. Want dat zou haar heerlijk ontspannen. En dan meteen iets lekkers voor haar huid. Zodat ze wat minder moe is. En dan noteer ik gauw dat ik haar moet vertellen over maskers uit de natuur. En dat ik haar moet zeggen dat ze eens een aardbeienmasker moet proberen.

Jennifer heeft het nogal moeilijk met haar moeder. En die moeder heeft het weer moeilijk met zichzelf. Dus beschrijf ik voor haar kruidenzakjes die ze zelf kan maken. Mijn kruidenzakjes zijn aardig beroemd, als zeg ik het zelf. En in ruil wil zij al mijn aantekeningen uittikken op de computer. Want van kruiden weet ik aardig wat. Maar van computers niet heel veel.

Voor Daan en Abel verklap ik het geheim van mijn jurken en de stropdassen van Rokus. En ik schrijf iets over pendelen. Want dat is reuzehandig. Cathy wil graag het recept van mijn rabarbertaart. Hoewel dat dus eigenlijk de rabarbertaart is van oma Loes. En natuurlijk doe ik de appeltaart van neef Dennis erbij. Daar is Wichard zo dol op. Ik maak een aantekening van het recept voor Bruintjes voor Rinke en ik schrijf het recept op van de koekjes die Rokus zo lekker vindt.

Ik noteer ook wat spreuken. Maar niet allemaal natuurlijk. Dan blijf ik bezig. En ik maak aantekeningen van kruiden. Van kruidenthee. En gezondheidstips. Dan ineens is het schriftje vol. Wat nu?

Ik wil het graag uitgeven. Voor iedereen die het leuk vindt om wat tips te krijgen van Schaap. In de antiekwinkel De roos en de koekoek ligt een stapeltje op de ouderwetse toonbank. Ze vliegen de winkel uit. En ze liggen in meer winkels.

Ik hoop dat heel veel mensen mijn schriftje willen kopen. De opbrengst gaat namelijk naar een goed doel. Naar het Berenbos in Ouwehands Dierenpark in Rhenen. Dat is een project van Alertis. In het Berenbos genieten mishandelde dansberen en circusberen van een mooie oude dag. Dat ontroert me. Ik weet ook niet precies waarom. Maar als ik nu de wereld een beetje leuker kan maken voor zo'n trieste oude beer, dan voelt dat zo heerlijk.

Dus als u mijn schriftje koopt bij *Echt Sanne*, het nieuwe negende boek van Sanne, dan heeft u niet alleen mijn geheimen op schrift, maar u helpt ook nog eens mee om een stukje Berenbos te sponsoren.

Met dank en groet,

Juffrouw Schaap.

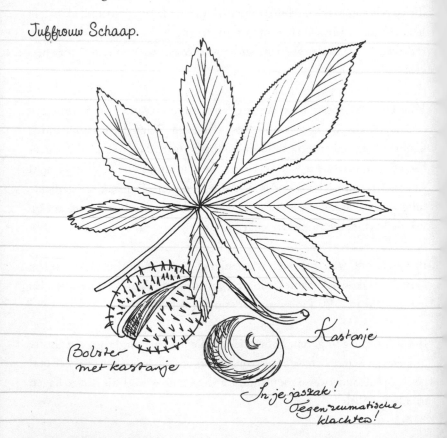

Bolster met kastanje

Kastanje

In je jaszak!
Tegen reumatische klachten!

Belangrijke kruiden om te verzamelen

Alle kruiden passen onmogelijk in dit schriftje. Dus ik noem er maar een paar. Genoeg om goede kruidenzakjes van te maken en om thee van te zetten. Je hebt kruiden die heel goed werken, maar die een ingewikkelde bewerking nodig hebben. Die sla ik dus over. Veel te lastig. Straks krijg je er rare pukkels van en dan krijgt Schaap de schuld. Daar beginnen we dus niet aan. Als je de smaak te pakken krijgt, zoek je maar een dikker boek over kruiden. Er zijn er genoeg.

Onthoud: Voor thee zijn verse kruiden altijd veel beter dan gedroogde. In de kruidenzakjes doe je uitsluitend gedroogde kruiden.

Verzamelen

Je hoeft niet op pad als het regent. Je verzamelt de kruiden bij droog weer. Zoek de jonge blaadjes en de bloemetjes die net uitkomen. Voor mensen die van regen houden: ga gerust op pad. Neem alleen geen kruiden mee. Geniet gewoon van de natuur. En loop met rubberlaarzen door plassen. Dat lucht erg op.

Drogen

Drogen doe je op een koele plek in de schaduw. Je hangt je kruiden op in een koel schuurtje waar het een beetje tocht. Rokus wil steeds mijn schuurtje isoleren, maar dat mag hij niet. Het is een prima plek voor mijn kruiden. Die goed geïsoleerde huizen en flats van tegenwoordig zijn echt een ramp voor de kruidendrogerij. Maar met een beetje goede wil vind je wel een plekje. Je hebt niet zo heel veel ruimte nodig. Als je bloemen wilt drogen, hang ze dan in bossen aan de stelen op. Gebruik altijd natuurlijke materialen om je kruiden mee op te hangen. Géén plastic of elastiekjes!

Thee

Kruidenthee zet je door de kruiden te overgieten met kokend water en minstens tien minuten te laten trekken op een theelichtje. Je kunt de kruiden ook opzetten met koud water en daarna tien minuten zachtjes laten doorkoken. Zachtjes! Dat kan ik niet vaak genoeg zeggen. Die jonge men-

sen van tegenwoordig hebben altijd haast. Maar tien minuten blijft tien
minuten! Daarna filteren en lauw opdrinken. Wil je zoet? Neem een
schepje honing. Nee, geen suiker!

Appel (malus pumila)
Verzamel de vruchten in augustus/september/oktober. Droog ze voor
kruidenzakjes of gebruik ze voor thee.

Bosbes (vaccinum myrtillus)
Verse bosbessen werken laxerend. Maar gedroogde bosbessen zijn juist
weer goed tegen diarree. Zet er dan thee van. Met gedroogde bosbessen-
blaadjes kun je kruidenthee wat zoeter maken.

Braam (rubus fructicosus)
Verzamel de bladeren van april tot oktober. De vruchten pluk je in augus-
tus/september/oktober. Vroeger gebruikten we thee van bramenbladeren om
te gorgelen bij keelpijn. Het hielp niet al te veel. Maar de thee is wel lekker
en gezond. Daarnaast is bramen plukken een leuk karweitje. Dus ga op pad
in de bramentijd! Neem een emmertje mee. Maak bramensap of bramenjam
van je oogst en wees maar trots op je blauwe vingers na het plukken.

Bladeren drietallig,
witte of roze bloemen.

Bramen
Rubus Fructicosus.

Bladeren drogen.
25 gr. overgieten met ½ liter kokend water.

Bramenthee
bij lichte diarree!
aldus jeffrouw Schag
Le Boulac 02-08-08

Brandnetel (urtica)
Verzamel de jonge bladeren in juni/juli/augustus. De verse jonge bladeren
hak je gewoon heel fijn en daarna meng je ze door de sla. Je hele familie

krijgt meteen een echte vitamine-voorjaars-stoot. Denk je dat ze gaan pro-
testeren tegen brandnetels in de sla? De zeurpieten. Vertel het ze dan niet.
Of mik ze door de groentesoep of de andijviestamppot. Dan zie je er niks
van. De jonge blaadjes prikken niet of nauwelijks. Beweeg voor de zekerheid
altijd je hand van beneden naar boven. Dan loop je zo weinig mogelijk risi-
co. Prikt je huid toch? Smeer in met weegbree, dat groeit er meestal vlakbij.

Citroenmelisse (melissa officinalis)
Verzamel de bladeren in juli en augustus. Melissethee is heerlijk, met een
zachte citroensmaak. Je wordt er kalm van. En het helpt bij misselijkheid
en buikkramp.

Den (pinus sylvestris)
Verzamel de jonge knoppen in mei. Kook ze en giet het kookwater in je badwater. Prima als je neus verstopt zit! Je kunt het ook in een teiltje gieten en
daarmee stomen. Gewoon een theedoek over je hoofd en boven dat water
gaan hangen. Heel goed voor al je holtes. Stomen, stomen, stomen. Dat is
vaak de enige manier om van kriebelhoestjes en loopneuzen af te komen.
Haal je de den en de spar door elkaar? Maakt niks uit. De jonge loten hebben dezelfde werking. Dat komt doordat er hars en olie in zit. Gooi af en
toe een goed gedroogde dennenappel in de open haard. Of op de vuur-
korf. Dat geurt zo lekker. Dennenknoppensiroop is heerlijk bij keelpijn,
maar zo lastig te maken dat je die beter kunt kopen.

Framboos (rubus idaeus)
Verzamel de bladeren van mei tot in augustus. Frambozen kun je makkelijk plukken. Die stekeltjes prikken lekker niet. De thee van de bladeren
smaakt net als Chinese thee. Idee: maak een mix van bramen-, frambozen-
en bosbessenblad. Frambozensap is heerlijk en een goed middeltje tegen
lichte koorts.

Goudsbloem (calendula officinalis)
Verzamel de bloemen van juni tot in augustus. Pers eens bloemetjes uit en
meng het sap door echte boter… klaar is je calendulazalf! Dat kun je op
schaafwondjes smeren of op geïrriteerde huidplekjes. Ook lekker als je een

beetje te lang in de zon hebt gelopen. Strooi eens wat zonnige gouds-bloemblaadjes door de sla. Daar word je vrolijk van. Er zijn zelfs mensen die beweren dat je met goudsbloemblaadjes door de sla tot betere tafelge-sprekken komt. Maar daar heb ik bij Rokus nooit iets van gemerkt. Die haalt ze er meestal uit.

Lavendel (lavandula officinalis)

Verzamel de bloemen van juli tot in oktober. Ik vind lavendelthee heel vies, maar het schijnt kalmerend en slaapverwekkend te werken. Datzelfde bereik ik met een handvol gedroogde lavendel in mijn badwater. Dat vind ik veel lekkerder! Natuurlijk gaat lavendel in de kruidenzakjes en in de linnenkast. Als je in het najaar de bossen lavendel terugsnoeit, gooi dan niks weg. De natuur geeft je een rustgevend cadeautje. Neem dat aan en gebruik het!

Madeliefje (bellis perennis)

Verzamel de bloemetjes van maart tot in september. Ze bloeien bijna het hele jaar door en barsten van de werkzame stoffen. Verzamelen dus, fijn-hakken en door de sla ermee. In de middeleeuwen kenden ze het made-liefje al. Ze noemden het toen liefdesbloempje. Wat wil je nog meer? Een beetje liefde door de sla!

Ook heel lekker: hak allerlei voorjaarskruiden fijn, meng ze door dikke kwark of verse kaas, breng op smaak met zout, peper en knoflook en smeer het mengsel op een heerlijk stuk volkorenbrood. Daar mag je je vingers bij aflikken!

Marjolein (origanum majorana)

Marjolein mag je niet verzamelen in de natuur. Het is een beschermde plant. Kweek hem dus zelf of gebruik je keukenvoorraad! Marjolein geurt zo heerlijk, dat het heel ontspannend werkt in het badwater. Mooie com-binatie ook met lavendel. Marjolein kan in zoveel gerechten. Als je het ruikt, kom je meteen op een idee. Doen! In omelet, tomatensaus, stoof-vlees, uienschotel, waarin eigenlijk niet? Ik doe bijna overal marjolein door. In een pot groeit hij heel goed. Geef hem een zonnig plekje.

Paardenbloem (taraxacum officinale)

Verzamel de blaadjes van maart tot in mei. Weleens gehoord van molsla? Dat zijn gewoon jonge paardenbloemblaadjes! Meng ze door je sla. Dat is een echte vitaminestoot!

En als 'ie is uitgebloeid, dan is de paardenbloem helemaal prachtig. Kijk maar eens goed naar die grote pluizenbol. Elk paardenbloemzaadje zit aan een klein parachuutje en zweeft weg als je blaast. Volgens mijn grootmoeder moet je één keer heel hard tegen de bol blazen. Zijn alle zaadjes weg, dan is de eerste man die je daarna tegenkomt, de liefde van je leven. Zijn er zaadjes achtergebleven, dan moet je ze tellen. Het aantal wijst op de letter in het alfabet waarmee de naam van jouw grote liefde begint. Zo. Heb je wat te doen als je in een weiland zit! Daarna kun je natuurlijk fluitjes maken van fluitenkruid of gewoon gaan picknicken. Met rabarbertaart bijvoorbeeld.

Paardenkastanje (aesculus hippocastanum)

Verzamel de vruchten en de bolsters in de herfst. Paardenkastanjes zijn giftig. Je moet ze dus nooit opeten. Maar de bolsters gebruik je in de kruidenzakjes en de glanzende bruine vruchten stop je in je jaszakken tegen reuma. En je legt er natuurlijk wat op een schaal voor een mooi herfstplaatje. De paardenkastanje heeft wel een genezende werking, maar de bereiding is ingewikkeld. Daar beginnen we maar niet aan.

Als je toch in het bos loopt, neem dan wat beukennootjes mee. Rooster ze in de pan en strooi ze over de sla, net als pijnboompitjes. Of doe ze op brood, met wat zout en peper. Lekker!

Rozemarijn (rosmarinus officinalis)

Verzamel de blaadjes van juni tot in september. Leg gedroogde takjes op de barbecue. Je kunt takjes gedroogde rozemarijn ook aansteken als een wierookstokje. Heerlijk! Als ik heel moe ben, doe ik rozemarijn in mijn badwater. Ook hoofdpijn wordt minder van zo'n bad. Voor rozemarijn moet je een plekje in je tuin zoeken. Naast de marjolein. Of allebei in een pot. Dat kan natuurlijk ook.

Sint-jans kruid (hypericum perforatum)

Verzamel de bloeiende plant van juni tot in augustus. Houd de blaadjes tegen het licht. Zie je die kleine puntjes? Als je die fijndrukt, komt er een donkerrode olie tevoorschijn. Daarin zit de geneeskrachtige werking. Met de thee moet je erg oppassen, want sommige mensen zijn door de werking van de thee overgevoelig voor zonnebrand. Lastig dus. Daar beginnen we maar niet aan. Wij gebruiken het kruid in een kruidenzakje.

Even de geschiedenis: Het sint-janskruid is genoemd naar Johannes de Doper. Volgens een legende ontstond de plant uit het bloed dat Sint-Jan verloor bij zijn onthoofding. In ieder geval vierden ze vroeger het sint-jansfeest op 24 juni. Dus als je het helemaal goed wilt doen, ga je op die dag plukken. Het kruid is een zogenaamd afweermiddel en beschermt tegen kwade invloeden.

Tijm (thymus serpyllum)

Verzamel de bloeiende stengels van juni tot in augustus. Tijm is echt een vrouwenkruid. Zo werkt tijmthee verzachtend bij menstruatieproblemen. In de zomer kleurt de tijm soms hele wegkanten lila! Dan kan ik het niet laten. Ik pluk wat tijm en wrijf dat fijn in mijn handen. Dat ruikt zo lekker! Daar knap je bij een lange wandeling helemaal van op! Tijm geeft nieuwe energie. Dat mag niet ontbreken in de keuken. Tomatensoep zonder tijm lijkt nergens op. Een paar takjes gedroogde tijm op de barbecue geeft een heerlijke geur. Gebruik dan het liefst de houterige tuintijm (thymus vulgaris) of de rozemarijn. O ja, wilde tijm geeft bescherming tegen kwade heksen en boze geesten!

Wilde aardbei (fragaria vesca)

Verzamel de blaadjes in mei/juni/juli. De thee helpt heel goed tegen diarree en smaakt nog lekker ook! De kleine aardbeitjes barsten van de vitamine C. Maak er ijsthee van en gooi er wat verse aardbeitjes door. Lekker zomerdrankje!

Kruidenzakjes

Samenstelling

Hoeveel van dit en hoeveel van dat? Geen idee! Ik ga het niet vertellen. Want dat moet je helemaal zelf doen. Met je eigen gevoel en je eigen intuïtie. Ruik eraan, voel eraan en meng het met je vingers door elkaar. O ja, was wel eerst je handen heel goed met ongeparfumeerde zeep. Als je je kruiden hebt gemengd en het voelt goed, dan doe je het mengsel in een zakje. Concentreer je daarbij op de werking en/of de persoon voor wie je het kruidenzakje samenstelt. Het maken van een kruidenzakje vergelijk ik weleens met koken: als je met aandacht en liefde kookt, dan kun je dat proeven. Aandacht en liefde staan nooit op een boodschappenlijstje. En toch zijn die twee de basis van iedere goede maaltijd. En ze zijn natuurlijk ook de basis van ieder kruidenzakje.

Het is niet moeilijk om de ingrediënten voor de kruidenzakjes te vinden. De meeste planten en bomen vind je in de berm, in het bos, in je tuin of in je voorraad keukenkruiden. En als je al aan het verzamelen bent, heb je natuurlijk goudsbloem, paardenbloem, kamperfoelie en duizendguldenkruid op voorraad.

Kruidenzakje voor een goede nachtrust zonder dromen

Stel een mengsel samen van:

sint-janskruid (hypericum perforatum)

wilde tijm (thymus serpyllum)

lavendel (lavandula vera)

citroenmelisse (melissa officinalis)

Van alle kruiden kun je zowel de blaadjes als de bloemen gebruiken. De lavendel en de tijm bepalen de geur van het zakje. Lekker! Maak de lavendel wel goed klein: de blaadjes zijn net kleine naaldjes. Als je niet wilt dat die door het zakje heen prikken, gebruik dan alleen de gedroogde bloemen. En als je toch met lavendel bezig bent: leg een zakje in je linnenkast. Of gooi een handje gedroogde lavendel in je badwater. Heerlijk! Eigenlijk zou iedereen lavendel in de tuin moeten hebben. Of in een bloempot op het balkon. Als ik 's ochtends naar buiten ga, pluk ik meestal een paar lavendelbloemetjes. Die wrijf ik even stuk tussen mijn handpalmen en daarna geniet ik van de geur. Probeer maar een keer!

Kruidenzakje voor het verdrijven van slechte gedachten

Soms lopen mensen vast in een negatieve spiraal. Daar hebben ze zelf last van, maar hun omgeving ook! Ik probeer ze soms met een kruidenzakje te helpen, zonder dat ze het zelf doorhebben. Laat zo'n zakje gewoon achter op een plek waar ze regelmatig zitten of liggen of werken. Onder hun bed is een goede plek. Of onder een autostoel of een bureaustoel. En als je helemaal wanhopig wordt en geen plek kunt bedenken, verstop het dan op hun wc!

Stel een mengsel samen van:

goudsbloem (calendula)

marjolein (origanum majorana)

kamperfoelie (lonerica caprifolium)

walnoot (junglans regia)

Van goudsbloem en kamperfoelie gebruik je de gedroogde bloemen. Marjolein kun je helemaal gebruiken. Als een walnoot van de boom valt, zit 'ie in een groene schil, vergelijkbaar met de bolster van een kastanje. Die groene schillen droog je. Kun je daar niet aankomen, gebruik dan de tussenschotjes van de walnoten. Dus: noten pellen, lekker opeten en de tussenschotjes bewaren. Van het eten van walnoten word je trouwens heel intelligent. Ze lijken niet voor niets op je eigen hersenen. En als je een tuin hebt, plant dan een walnotenboom. Het is een langzame groeier en hij verjaagt vliegen en muggen!

Kruidenzakje voor harmonie in huis en hoofd

Stel een mengsel samen van:

gedroogde jonge dennenknoppen (pinus sylvestris)

wilde appel (malus pumila)

paardenbloem (taraxactum officinalis)

Pluk paardenbloemen en droog ze. Van de wilde appel kun je de bloesem drogen. Maar de kleine wilde appeltjes kun je ook heel goed in vieren snijden en drogen. Gooi de klokhuizen niet weg en de pitten al helemaal niet! Van verse wilde appel kun je heerlijke thee zetten. Gewoon wassen, in stukjes snijden (alweer met klokhuis en al), overgieten met kokend water en een tijdje laten trekken op het theelichtje. Geef in het voorjaar niet alle paardenstekken aan de konijnen. Bewaar de jonge blaadjes en doe ze door de sla. Héél gezond!

Kruidenzakje voor zelfvertrouwen en zelfinzicht

Maak een mengsel van:

eik (quercus robur)

den (pinus sylvestris)

rozemarijn (rosmarinus officinalis)

paardenkastanje (aesculus hippocastanatum)

Van de kastanje gebruik je de gedroogde bolsters. En als je toch zoekt, doe dan meteen een kastanje in je jaszak. Ik heb ieder jaar een nieuwe in mijn zak, en dat doen de vrouwen in mijn familie al generaties lang. Het schijnt namelijk te helpen tegen reuma. Hoe dan ook, kwaad kan het niet! Ook kun je in het voorjaar kastanjeknoppen verzamelen en drogen. Maar die kleven heel erg. En ik vind het altijd zo zonde om ze af te plukken. Het is zo'n prachtig gezicht, zo'n kastanjeknop die uitkomt met van die prille frisgroene blaadjes. En in het najaar kun je zoveel bolsters rapen dat je voorraad genoeg hebt! Van de den gebruik je weer de gedroogde jonge knoppen. Van de eik gebruik je de eikels. Hak ze voorzichtig tot een grof mengsel. Het maakt niet uit of je de eikels hebt van een zomereik of van een wintereik, het werkt allebei even goed. Van rozemarijn kun je de blaadjes en de bloemetjes gebruiken. Tip: Moet je kind examen doen? Of een belangrijk proefwerk maken? Stop dit kruidenzakje in jaszak of schooltas!

Quercus

Patroon voor kruidenzakje

Simpele manier

Knip een cirkel uit soepele stof. Katoen of linnen is prima. Je hoeft geen nieuwe stof te kopen. Een oud T-shirt is ook prima. Maar kijk wel of er geen synthetisch materiaal in zit. Het moet 100% katoen zijn. Leg je kruidenmengsel in het midden en bind het zakje samen met een katoenen draadje.

Tip 1 Gebruik een ontbijtbordje of een schotel voor de afmeting van de cirkel.

Tip 2 Als je de cirkel uitknipt met een kartelschaar, heb je meteen een leuk effect. Je kunt de cirkel natuurlijk ook omzomen of afwerken met biaisband.

Ingewikkelde manier

Maak een zakje volgens tekening.

Als je het van borduurlinnen knipt, kun je er met een telpatroon een afbeelding van kruiden op borduren. Zie voorbeelden hiernaast.

Met behulp van een biaisbandje kun je er een tunnel in maken, zodat je het zakje met een koordje netjes dicht kunt snoeren.

Je kunt ook een ketting van lossen haken van katoen, zodat je een wat dikker koordje krijgt.

Tip 3 Je kunt je kruidenzakje voeren met een mooie zijden voeringstof. Geef het dan een mooi plaatsje in de linnenkast.

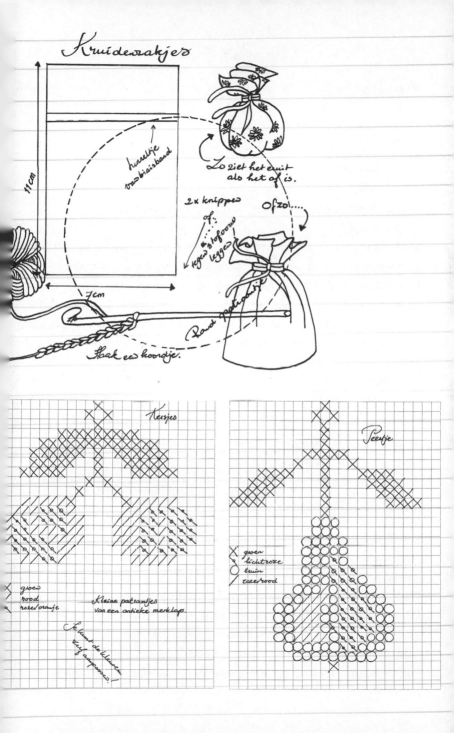

Kruidenzakjes

11cm

7cm

hulselje voor biaisband

Zo ziet het eruit als het af is.

2x knippen of : tegen stof voor leggen

Ofzo.....

Rond patroontje

Haak een koordje.

Kersjes

× groen
× rood
× roze/oranje

Kleine patroontjes van een antieke merklap.

Je kunt de kleuren zelf aanpassen!

Peertje

× groen
• lichtroze
○ bruin
/ roze/rood

Koekjes

Krentenkoekjes

Dit heb je nodig:

200 gram boter	1 snufje zout
165 gram basterdsuiker	250 gram bloem
60 ml melk	1 theelepel bakpoeder
1 zakje vanillesuiker	50 gram krenten

Meng boter met basterdsuiker. Klop dat met melk, vanillesuiker en zout luchtig door. Daarna bloem en bakpoeder er luchtig doorkloppen. Luchtig is dus: met gevoel! Alles komt weer op dat gevoel aan. Of dat nu een koekje of een kruidenzakje is. Roer nu de krenten erdoorheen. Schep rondjes van dit mengsel op een ingevette bakplaat en maak ze iets plat. Baktijd: 20 minuten op 175 graden in een voorverwarmde oven.

Bruintjes

Dit heb je nodig:

125 gram boter	1 snufje zout
175 gram pure chocolade	2 eieren
225 gram suiker	150 gram grof gehakte walnoten
1 zakje vanillesuiker	125 gram bloem

Laat boter smelten en smelt daarin de verbrokkelde chocolade. Laat iets afkoelen. Doe suiker, vanillesuiker en eieren bij het mengsel en roer het goed door. Daarna roer je de walnoten en de bloem erdoor. Doe dat in een vierkante ingevette vorm van 23 bij 23 cm, of vouw zelf een vorm van aluminiumfolie. Tip: Sinds ik op een stukje folie heb gebeten dat aan de onderkant van een taart was blijven zitten, bekleed ik een aluminium vorm met bakpapier.
Bak de bruintjes 30 tot 40 minuten in een voorverwarmde oven op 200 tot 225 graden.

Appeltaart van mijn neef Dennis

Dennis is bakker van beroep. Die jongen kan toveren met de oven! En dit recept voor appeltaart is van hem. Het is meteen een recept voor twee appeltaarten. Ik vries er altijd eentje in, voorgesneden en wel. Dan kan ik een aantal punten ontdooien als er visite komt.

Dit heb je nodig voor het deeg:

600 gram boter	10 gram zout
300 gram basterdsuiker	1 ei
10 gram citroenrasp	900 gram bloem

Voor de vulling:

100 gram kristalsuiker	150 gram cakekruimels
100 gram krenten/rozijnen	2 theelepels kaneel
50 gram citroenrasp	1 kilo appels (geschild)
50 gram abrikozenmoes	

Bereiding:

Meng het deeg en zet het koel weg. Houd 150 gram apart om te verkruimelen.

Meng suiker met citroenrasp en kaneel. Doe daarna de cakekruimels erdoor. Dat is een geheim ingrediënt van Dennis. De cakekruimels houden het vocht van de appels vast tijdens het bakken. Zo blijft de vulling heerlijk smeuïg. Om verkleuring zoveel mogelijk te voorkomen, snijd je pas op het laatst de appels in stukjes en meng je ze erdoor.

Rol het deeg uit en bekleed daarmee twee grote springvormen (doorsnee 17 cm).

Smeer een laagje abrikozenmoes over de bodem.

Doe de appelvulling erin.

Maak met de rest van het deeg een mooi gevlochten hekwerkje over de vulling heen. Doe dat netjes, met bandjes van 1 centimeter en 1 centimeter tussenruimte. Dennis is daar heel precies in en beoordeelt dat altijd heel streng!

Bak nu de taart in 35 minuten in een voorverwarmde oven op 200 graden.

Laat hem afkoelen en bestrijk de taart met verwarmde abrikozen-moes/jam.

Tip: Vervang een keertje de onderste laag abrikozenmoes door banketbak-kersroom. Daar is Rokus helemaal dol op!

De rabarbertaart van oma Loes

Nee, het is niet mijn eigen rabarbertaart. Hij is van oma Loes. Ze deelt haar recept graag en heeft nog een goede tip: eet de taart een uurtje na het bakken helemaal op. De taart heeft namelijk een ondergrond van cake. Als je dat lang in de ijskast bewaart, wordt het hard. Dus opeten. Desnoods in je eentje. Nog beter: met familie en vrienden. Ze zullen je dankbaar zijn. Net als de vier kleinkinderen van Loes!

Dit heb je nodig:

125 gram boter	200 gram bloem
125 gram suiker	2 theelepels bakpoeder
1 zakje vanillesuiker	750 à 1000 gram rabarber
3 eieren	100 gram hazelnoten (gemalen)
3 eiwitten	120 gram suiker

Bereiding:
Oven voorverwarmen op 175 graden.

Was de rabarber, snijd in kleine stukjes en laat heel goed uitlekken.

Klop boter, suiker en vanillesuiker schuimig. Roer de eieren er één voor één door. Voeg bloem en bakpoeder toe. Bekleed met dit deeg een inge-vette bakvorm (26 cm).

Verdeel de goed uitgelekte rabarber over de taart. Bak de taart 40 minuten in het midden van de oven.

Klop 3 eiwitten stijf. Voeg al kloppend 120 gram kristalsuiker beetje bij beetje toe, tot het eiwit gaat glanzen. Spatel de gemalen hazelnoten erdoor. Verdeel het notenschuim over de rabarber en bak de taart nog 20 minuten.

Nu het allerbelangrijkste: uurtje laten afkoelen en opeten.
En zachtjes zeggen: 'Dank je wel, oma Loes!'

Geheim ingrediënt:
Cakekruimels!!

Alternatieve gezondheidstips

De hik

Vul een glas tot de rand met water. Drink het glas leeg vanaf de óverkant van het glas! Dus je zet het glas niet gewoon aan je lippen. Nee, je drinkt van de óverkant! Probeer het maar. Voordat je het glas half leeg hebt, ben je van je hik verlost. En heb je een hoop water geknoeid. Doe het dus boven een tegelvloer. Of nog beter: buiten!

Ander middeltje: Adem heel diep in. Slik drie keer zonder je adem los te laten. Knijp je neus dicht en houd je adem vast zo lang als je kunt. Nog langer! Nog ietsje langer! En dan slik je nog eens drie keer zonder je adem te laten ontsnappen. Nu laat je je adem gaan en je hik ook.

Jeuk

Heb je een vreemde jeukende uitslag, dan moet je natuurlijk naar de dokter. Maar bij jeuk door muggenbeten weet ik een oud huismiddeltje: een paar keer per dag de plek inwrijven met azijn of verdund citroensap. Daarna wat olie erop smeren zodat je huid soepel blijft. Heb je jeuk door brandnetels, dan kun je een blad weegbree pakken. Dat groeit er meestal vlakbij. Wrijf de jeukende plek goed in met het gekneusde blad. Kun je geen weegbree vinden? Plas dan over de jeukplek heen. Dat helpt fantastisch. Al is het soms niet uitvoerbaar.

Vastzittende ring

Iedereen kent de truc met de groene zeep. Als dat niet helpt, dan kun je je vinger heel strak omwikkelen met verbandgaas. Daarna houd je je vinger een paar minuten omhoog. Verbandgaas eraf... en je vinger is een stuk dunner geworden. Lukt het nog niet? Probeer het dan nog een keer.

Slapeloosheid

Ik slaap zelf ongeveer vijf uur per nacht. Voor mij voelt dat niet als slapeloosheid. Ik lig graag wakker en denk dan na. Mijn lichaam rust evengoed uit. Er zijn maar weinig mensen die acht uur achter elkaar diep in slaap zijn. Laat dat alvast een troost zijn. Gun jezelf de tijd om wakker te liggen, maar probeer niet te piekeren. Nadenken mag. Piekeren niet. Ban onrustige gedachten uit door helemaal te ontspannen en je hoofd leeg te maken. Als dat niet lukt, vul je hoofd dan met mooie beelden. Denk bijvoorbeeld aan een boswandeling. Of de zon die ondergaat in zee, terwijl je op je blote voeten door het zand loopt. Een echte wandeling voor het slapengaan werkt heerlijk ontspannend. En een warm bad met een beker hete thee wil ook wonderen doen. En denk aan het kruidenzakje voor een goede nachtrust!

Wagenziekte/ zeeziekte

Ga met een volle maag op pad. Mijn opa heeft in zijn jeugd gevaren op de wilde vaart. Hij nam de eerste twee dagen op zee kleine slokjes zeewater uit een heupflacon. Hij beweerde dat het fantastisch helpt, maar dat je ook kleine slokjes brandewijn kunt nemen als je zeewater niet lekker vindt. Ook heb ik me laten vertellen dat het helpt als je zure augurken eet. Blijf op een schip altijd in de buitenlucht en zorg dat je de horizon kunt zien. Dan word je niet zo gauw ziek. In een auto word je minder snel wagenziek als je voorin kunt zitten. Je kunt er ook voor kiezen niet op reis te gaan. Zeker als het niet echt nuttig is. Ik vind mensen altijd erg overspannen over vakantie. Ze komen er vaak niet echt uitgerust van terug.

Weegbree
Bladrozet

De heupflacon
van mijn opa,
gevuld met
zeewater. Of brandewijn?

Zure augurken
tegen reisziekte.

Patroon voor een jurk of jas

Ik maak al mijn kleren zelf. Het is zó makkelijk en zó goedkoop. Ik heb
één patroon waarmee ik varieer (zie tekening). Met dit patroon kan ik een
recht model en een wijd model jurk maken. De rok kan extra wijd door
inzetstukken te knippen. Ook de mouw kun je strakker of wijder maken.
De hals kun je net zo knippen als je zelf wilt.
Knip wel een beleg. Dat staat veel netter. Hoewel je ook kunt afwerken
met biaisband of met een nepbontje of een gehaakt kraagje.

Maak er altijd zakken in! Reuze handig. Gewoon in de zijnaad. En net zo
diep als je zelf leuk vindt. Je kunt ze maken van dezelfde stof of van voeringstof.

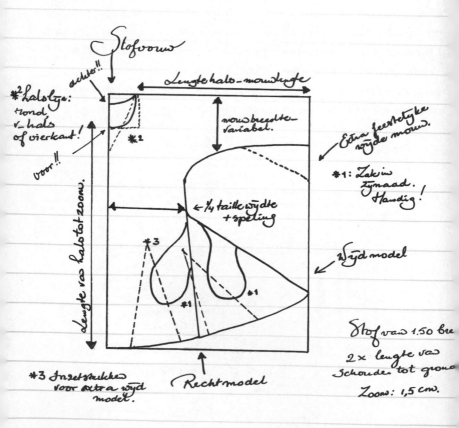

Je kunt de jurk ook dragen met een riem. Ikzelf houd daar niet zo van, want ik heb geen taille. Dan is een riem meer een aanwijsbord waarmee je zegt: 'Kijk! Hier zat vroeger een taille!' Ik vind het prettig als de jurk wat ruim zit. Maar dat mag je helemaal zelf kiezen.

Laatst heb ik met dit patroon een jas gemaakt. Leg dan voor de voorpanden het midden 1,5 centimeter van de zelfkant van de stof af. In de ene kant komen dan de knoopsgaten en op de andere kant de knopen. Omdat een kraag vaak ingewikkeld is, heb ik een grote extra brede das gebreid. Die heb ik langs de hals genaaid. Makkelijk, praktisch, heerlijk warm en zelfs een beetje chic! Het achterpand van de jas leg je natuurlijk weer gewoon tegen de stofvouw aan.

Je moet gewoon een beetje lef hebben. Dan maak je zo een leuke jurk. En die maak je net zo mal of gek of netjes of luxe of extravagant als je zelf wilt!

Patroon voor een stropdas

Ik heb ooit een goedkope stropdas van Rokus uit elkaar gehaald en die gebruik ik nog steeds als patroon. Reuze makkelijk. Ik naai allerlei restjes stof aan elkaar en meestal kom ik er wel. Maar soms doe ik aan de achterkant van de das een stukje andere stof. Dat ziet niemand. En als ik helemaal te weinig stof heb voor een bijpassende das, dan maak ik een strik. Alleen vindt Rokus dat niet zo prettig.

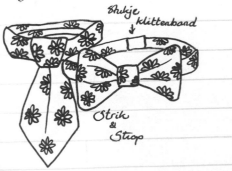

Gehaakt kraagje

Dit heb je nodig: 30 gram zwaar glanskatoen, haaknaald nr. 3 en haak-naald nr. 10.

Met haaknaald nr. 10 zet je 120 lossen op. Hierboven haak je drie toeren vasten.

Daarna haak je verder met haaknaald nr. 3:

Voor het keren haak je aan het eind van iedere toer twee lossen en dan sla je de eerste steek van de vorige toer over. Zo krijg je twee schuine kanten.

4^e toer: * 3 lossen en 1 vaste in de 3^e vaste van de vorige toer. Vanaf * her-halen.

5^e toer: steeds 3 vasten om de lussenboog en 1 vaste boven de vaste van de vorige toer.

6^e toer: steeds afwisselend 1 vaste boven de middelste van de 3 vasten om het lossenboogje, 3 lossen.

7^e toer: als 5^e toer.

8^e toer: steeds afwisselend 1 losse, 1 vaste in de 2^e volgende vaste (dus 1 vaste van de vorige toer overslaan).

9^e toer: steeds afwisselend 1 vaste om de losse van de vorige toer, 1 losse.

10^e toer: steeds afwisselend 4 lossen en 1 vaste in de 2^e volgende losse.

11^e toer: steeds 4 vasten om de lossenboog, 1 vaste in de vaste van de vori-ge toer.

12^e toer: steeds afwisselend 1 vaste in het midden van de 4 vasten om het lossenboogje, 4 lossen.

13^e toer: als 11^e toer.

Klaar! Pers het kraagje op onder een vochtige doek en zet het op je jurk.

Schoonheidstips

Natuurlijke maskers

De natuur geeft zoveel moois. Wie wil er dan nog naar een schoonheids-salon? Zin in een maskertje? Kijk eens in de voorraadkast of in de koelkast. Problemen met je haar? Grijp niet gelijk naar dure chemische middelen. Ga lekker zelf aan de slag. Het is niet alleen veel goedkoper, het is ook veel leuker!

Om je gezichtshuid zacht te maken

Meng een eidooier met een paar druppels rozenolie. Smeer het op je gezicht en laat het een tijdje inwerken. Afspoelen met lauw water.
Bij een vette huid neem je het mengsel van een eidooier met een paar druppels rozenolie en je voegt daar een paar druppels komkommersap aan toe. Doe verder als hierboven.

Om je huid goed schoon te maken

Maak een reinigingsmelk van melk of karnemelk met wat druppels vruchtensap. Je kunt zelf kiezen: sinaasappel, citroen, aardbei, limoen, net wat er op de fruitschaal ligt. Met komkommersap kun je daarna je huid wakker maken. Dat is een echte opfrisser. En daarvoor hoef je geen komkommer te persen; je wrijft gewoon heel zacht met een plakje komkommer over je huid. Ook met rode of witte wijn kun je je gezicht heel goed schoonmaken.

Masker tegen rimpels

Klop een eidooier met wat (koffie)melk tot een papje. Smeer op je gezicht en laat het minimaal 20 minuten zitten. Verwijderen met lauw water. Dat helpt. Dat weet ik uit ervaring.

Masker tegen vermoeide huid

Prak ongeschilde komkommerschijven met een paar druppels citroensap tot een papje. Bescherm wel je ogen met natte watten! Er mag geen citroen in je ogen komen.
Je kunt de citroensap ook vervangen door wat druppels (koffie)melk en een eiwit. Dan werkt het reinigend en kalmerend.

Masker voor zachte huid

Meng honing met paar druppels citroensap. Minstens 20 minuten laten zitten en lekker languit in een tuinstoel gaan zitten! Je kunt er ook een eiwit aan toevoegen. Is heerlijk en trekt alle rimpels strak. Ook in je hals!

Masker om de huid te voeden

Kook dikke havermoutpap en smeer het op je gezicht. De vezels voeden je huid. En je huid wordt er ook nog eens zacht van. Heerlijk. Af en toe een ontbijt met havermout is ook heel goed. Vooral als je de hele dag op pad moet. Dan is pap een bodem waar je uren mee voort kan.

Algemene maskertip

Neem er de tijd en rust voor. Laat je masker minstens 20 minuten inwerken. Gebruik je fantasie. Kook een keer lavendelpap of meng rozemarijn door de honing. Beschouw het als een cadeautje voor jezelf om een eigengemaakt masker te nemen en nodig een keer een vriendin uit om samen aan de slag te gaan. Prak een aardbeienmasker of verzin een andere unieke prut. Want een masker is al heel goed voor je, maar een keertje ontzettend lachen is nog beter! Daar kan geen kruid of fruit tegenop!

Gladde ellebogen en mooie handen

Eet je weleens avocado? Smeer met de schil je ellebogen in. Het is een oeroud middel en het helpt uitstekend.

Koffiedik is heel goed voor je handen. Tegenwoordig hebben veel mensen koffiepads. Wrijf die stuk tussen je handen voordat je ze weggooit en je zult heel snel verbaasd zijn over het resultaat.

Haar wassen

Je kunt je haar uitstekend wassen met twee eidooiers. Je klopt de eidooiers los en masseert het door je droge haar. Daarna laat je de eimassa opdrogen. Vervolgens spoel je het met kleine beetjes lauw water masserend weg. Het is meteen een heel goede behandeling tegen droog haar. Heb je last van vet haar, laat dan de shampoo een tijdje staan en was je haar met bier. Dat werkt heel goed en je haar gaat er prachtig van glanzen.

Pendelen

Wat is pendelen

Pendelen is niets anders dan een antwoord vragen boven een voorwerp of boven een pendelkaart.

Je zoekt naar het antwoord in jezelf. Het heeft dus niks met geesten of met hekserij te maken. Eigenlijk weet je het antwoord al, maar het is gewoon niet duidelijk. Met een pendel maak je je intuïtie zichtbaar. Dat kan vaak een extra steuntje in je rug zijn. Nu is het wel zo, dat mensen met een paranormale begaafdheid vaak beter kunnen pendelen. Maar misschien ben je je helemaal niet bewust van je paranormale gave en kun je dus héél goed pendelen. Probeer het gewoon. Het kun in ieder geval geen kwaad.

Kies je pendel

Pendels zijn er in allerlei maten en soorten en materialen. Je kunt kant-en-klare pendels kopen van metaal, hout en steen. Maar ik heb heel lang gependeld met een ring van mijn moeder aan een ketting. En een vriendin van mij pendelt met een knoop. Je moet iets kiezen dat bij je past en waar je je goed bij voelt. Een pendel is heel persoonlijk. Als je eenmaal een pendel hebt gekozen, dan kies je ook de niet al te lange ketting waar je hem aan hangt. Ook de ketting kan van allerlei materialen zijn. Van goud en zilver tot gewoon een katoenen draad. Net wat je wilt.

Onderhoud

Houd je pendel schoon. Dat betekent dat je hem niet vast moet laten houden door een ander. De pendel is van jou en mag niet vervuilen door vreemde energie. Als je pendel toch een keer in aanraking is geweest met iemand anders, maak hem dan schoon met een sopje, spoel hem af met stromend water en laat hem drogen op een schone doek in het zonlicht. Berg je pendel na gebruik altijd op in een speciaal zakje of vouw hem in een speciaal voor je pendel uitgekozen doek.

Gebruik

Spreek met je pendel af wat de beweging betekent. Het meest gebruikelijk is dat een pendel van voor naar achter beweegt als het antwoord 'ja' is (knikken) en van links naar rechts als het antwoord 'nee' is (schudden). Je kunt pendelen boven een voorwerp of boven een pendelkaart. De meest bekende is de ja/nee kaart (zie afbeelding). Je pendel geeft op deze kaart het antwoord aan. Pak de ketting van je pendel met duim en wijsvinger vast. Ontspan je. Maak je hoofd leeg. Stel je vraag. En kijk naar het antwoord. Als je pendel stil blijft hangen, wil hij geen antwoord geven. Vraag dan: mag ik deze vraag stellen?

Vraag en antwoord

Denk eraan dat je een vraag stelt waar je pendel antwoord op kan geven! Wil je weten met welke man je gelukkig zult worden, vraag dan: Word ik gelukkig met Piet? Laat je pendel antwoorden. Vraag daarna: Word ik gelukkig met Harry? Laat je pendel antwoorden. Andere methode: Leg een foto van Harry en een foto van Piet op tafel en pendel welke man de juiste is. Maar op een vraag: 'Wat zullen we vanavond eten?' kan je pendel niet antwoorden. Of je moet een kaart neerleggen met recepten. Of twee soorten groenten. Dan kan het weer wel.

Onthoud

Pendelen is leuk. Het kan je helpen antwoorden duidelijk te maken. En het kan je helpen kiezen. Maar het kan je nooit behoeden voor fouten en het zal je ook niet helpen de staatsloterij te winnen.

Tot slot

Stel je pendel nooit een vraag waarop je het antwoord niet wilt horen.

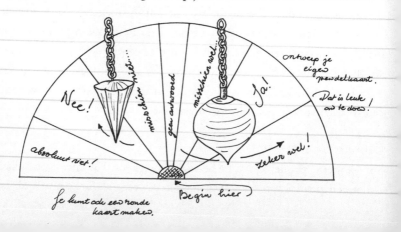

Tips van Rokus

Bladluizen op kamerplanten
Steek een paar lucifers met de koppen naar beneden in de pot. Door de zwavel verdwijnen ze. Een teentje knoflook in de grond helpt ook.

Bloemen in een vaas
Rozen houden van een aspirientje. Fresia's en trosanjers van een schepje suiker.

Druiven
Vermaal je eierschalen en strooi ze erbij. Druiven houden van kalk.

Groene aanslag
Besproei je straatje met schoonmaakazijn. Doe dat op een mooie zonnige dag. Een paar dagen later heb je met een boender de aanslag zó weg. Gebruik geen hogedrukspuit, want daarna hecht de groene aanslag zich nog veel beter op de tegels.

Houtworm
Die zijn dol op eikels. Leg eikels in een kastje met houtworm en gooi iedere keer de eikels weg waar de houtwormen in gekropen zijn. Vervang ze dan door nieuwe eikels, net zolang tot er geen houtworm meer is.

Katten
Steek satéprikkers in de aarde die ze gebruiken om te poepen. Ze kunnen er nog wel tussendoor lopen, maar hun behoefte doen, dat lukt niet meer! Koffiedik wil ook wel helpen. Dat vinden ze akelig tussen hun voetkussentjes.

Maïs
Groeit graag bij aardappelen, bonen, erwten, komkommers en pompoenen. Ook met zonnebloemen is maïs goed bevriend.

Mieren

Leg koperen muntjes (oude stuivers en centen) op de plek waar ze binnen komen. Mieren houden ook niet van afrikaantjes, goudsbloemen en lavendel.

Muggen

Plant lavendel en citroengeraniums rond je terras.

Slakken

Zet geopende blikjes bier (halfvol) in de tuin. De slakken kruipen erin en verdrinken. Of bestrooi ze met keukenzout. Dan lossen ze op. Maar dat vindt Schaapje zielig.

Tomatenplanten

Nooit van bovenaf water geven. Alleen aan de voet. Tomaat doet het goed bij bieslook, uien en afrikaantjes. Tomaat houdt niet van aardappelen. Plant tomaat bij de kool, want koolwitjes houden niet van tomaat. En de rupsjes van het koolwitje eten de kool weer op. Tomaat beschermt rozen tegen schimmel. (Pers tomatenbladeren in een groentepers en verdun dat met water. Besproei de rozen ermee.) Tomaat groeit graag ieder jaar op dezelfde plek.

Uien

Uien en kool is een goede combinatie. Uien houden niet van erwten en bonen. Uien houden bladluizen weg bij de rozen. Sieruien ook.

Zonnebloemen

Houden van komkommers. Maar niet van stokslabonen. En ook niet van gras.

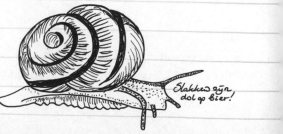

Slakken zijn dol op bier!

Uitspraken en Spreuken van juffrouw Schaap

Wie zijn tranen spaart,
heeft alleen maar verdriet op de bank.

Bouwen is goed,
maar ga niet meteen bovenop de steiger staan.

We stellen het paradijs pas echt op prijs,
als we door de hel zijn gegaan.

Wie geld en goud biedt voor geluk,
die slaat subiet de hemel stuk.

Jeugd is een kwaal die vanzelf overgaat.

Wie huilt op kerstmorgen
is het volgend jaar zonder zorgen.

Zo jong als je vandaag bent,
ben je morgen niet meer.

Wie zonder vet door het leven gaat,
valt in koud water van de graat.

Mensen die nooit fouten maken,
maken nooit iets.

Als je niet weet waar je moet beginnen,
begin dan nu.

In winternacht bij vollemaan
wordt heel wat is kapotgegaan.

Snoepen buiten de deur is als eten van slagroom:
vandaag zoet, morgen zuur.

Een hongerige buik heeft geen oren: wie niet goed eet,
kan ook niet horen.

Het is heel goed om regelmatig je eigen boontjes te doppen.

Een vrouwenhaar trekt sterker dan een kabeltouw.

Wie altijd naar het verleden kijkt,
heeft geen oog voor de toekomst.

Liefde is de basis.
Met van tijd tot tijd een flink stuk rabarbertaart.

Eén nacht sneeuw en windstil weer
brengt al te gauw de zwaluw weer.

Zo gauw het zonnetje gaat stoven,
komt razendsnel de sneeuwklok boven.

Als je iets kunt verzinnen,
kun je het ook uitvoeren.

Galanthus Nivalis